나의 뒤에서_
시시(詩詩)하고
사소하지만

나의 뒤에서_시시(詩詩)하고 사소하지만

발 행 | 2024년 07월 15일
저 자 | 재인
펴낸이 | 한건희
펴낸곳 | 주식회사 부크크
출판사등록 | 2014.07.15. (제2014-16호)
주   소 | 서울특별시 금천구 가산디지털1로 119 SK트
윈타워 A동 305호
전   화 | 1670-8316
이메일 | info@bookk.co.kr

ISBN | 979-11-410-9526-0

시시하고
사소하지만

_재인

시시(詩詩)하고 사소하지만

사랑은 전설처럼 끈질기고

신화처럼 허구적이지만

현실처럼 존재하고

목차는 없습니다
그냥
흘러가듯
읽어주시길 바랍니다

농담

시간과 공간을 이어 선을 긋고 면을 세운다
내딛는 걸음마다 차원의 역사를 딛지만
당신과 나는 그저 하나의 점일 지도 모르지

그래서 나는,

실없는 농담처럼 가볍게 말을 쓴다
쓴 말은 물자리가 번지듯이 공기에 스민다
실없는 농담처럼 써, 내렸으나
그 말은 결코 실없던 적이 없어서

가득히
짙음과 그림자를
드리운다

그저 점일지도 몰라,
가득히 퍼져가는 농담에
번지듯 웃음을 내려놓고

백야

여전히 가지 않은 밤인지
아직 오지 않은 아침인지
검은 동공 위로 하얀빛이 퍼지고
숱한 생각의 찰나들과 모순들이 움튼다

어두운 빛에서

밝은 어둠에서

하나의 그림자가 어른거리고
빛과 어둠의 농락에서
시간이 전락한다

베개

가득히 풀어진 실처럼
검고 얇은 가닥들이
두루뭉술한 형체들의 꿈에서
감각을 얻어 꿈틀거리는 세포처럼
일렁일렁 헤엄치는 곳

살갗과 살갗이 닿고
숨이 오가고
땀이 섞이고
체온이 만나고
무의식의 의식들이
가득히 부유하는 곳

눈길

눈은 소리 없이 내리는 것 같지만 왠지 소리가 나는
것 같고, 펄펄, 사르르, 끝도 보이지 않는 저 하늘 높은
어딘가에서 내려오지만 바로 눈앞의 발끝에 닿아 사르
륵 녹고, 덜 녹은 눈들 위로 소복하게 쌓인다 소복하게
쌓인 눈으로 눈길마다 눈길이 밟히고 걸을 때마다 뽀
득뽀득 소리가 난다 도시의 재와 섞이고 밤새 돌고 도
는 발밑의 둥근 세계로 인해 이제 이게 눈길인지 흙길
인지 구별할 수 없을 정도가 되면 끝없어 보이는 회색
빛의 하늘을 보면서 작고 하얗고 이내 녹아버릴 그것
에 대해 생각해 본다 가는 눈길마다 눈인 것처럼 흩뿌
려진 하얀 알갱이들은 내리는 눈을 쫓아내려고 뿌려놓
은 것인 양 길에 널려 있지만 내리는 눈에 정말 0적인
힘이라도 있는 것인지 0도의 세계는 다시금 끝도 경계
도 보이지 않는 모든 것들의 꼭대기 위에서 녹아 사라
져 버릴 것을 내려보내려 한다 영원의 세계에서 언젠
가 사라질 나는 왠지 소리가 나는 것 같은 눈에 눈길
을 둔다 두는 눈길마다 펄펄 저 높은 곳에서 눈길이
내려온다

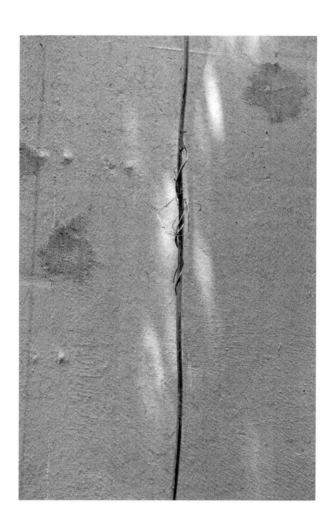

짓

단단한 것을 짓이겨
무르고 쉬운 거짓을 빚고
견고한 마음 한켠에 놓아
상처받기 쉬운 것인 양 가장하고

그것은 원래 단단한 것이었다고
짓이긴 건 누구도 아니고
그럴듯한 허울을 띄우려 했던
바로 자신이라고
단단한 것을 짓이길 때
짓이기는 손도 짓이겨졌을 것이라고

거짓은 무르고 쉽지만
체하는 얼굴엔 온통 생채기이고

세상의 끝

지자는 물을 좋아한다는데 난 무엇을 제대로 알지도 앎을 깨닫지도 못하는데 물을 좋아한다. 나는 그토록 무엇도 몰라서 겨우 물의 끝에서 세상의 끝을 보고 한 없이 맑고 투명한 것에 짙고 깊은 시간을 띄운다. 물은 가만히 있는 것 같지만 끊임없이 흐르고 내가 띄운 짙고 깊은 시간은 돌아오지 못할 곳으로 흘러간다. 그 옛날 어느 지자의 말처럼 나는 그 시간을 또 띄우지 못할 것이다. 그러나 꿈속 아득히 내가 띄운 시간에 살짝 발을 담근다. 다시, 또, 다시. 그리하여 나는 영영 잊지 않으리라 다짐한다

pink

진홍은 짙은 빨강, 참진에 붉을홍
분홍은 옅은 빨강, 가루분에 붉을홍

참진에는 또렷하다의 의미도 있어 진홍은 짙은 빨강이
되었고 가루분엔 희다의 의미도 있어 분홍은 옅은 빨
강이 되었나 아니면 진홍은 진짜 빨강이고 분홍은 진
짜 빨강이 산산이 부서져 가루처럼 흩날린 빨강인 것
일까 그런데 누가 진짜 빨강을 알까 세상에서 제일 검
다는 검은색은 찾아낸 그 사람들은 세상에서 제일 빨
간 빨간색 진짜 빨갛다는 빨강도 찾아낼 수 있을까 진
홍의 앞뒤를 바꾸면 홍진이고 홍진은 태양에 벌겋게
타오른 먼지이고 번뇌가 가득한 속세를 의미던데 진홍
의 진은 참진이지만 홍진의 진은 티끌이니까 그럼 분
홍은 홍진일까 빨강이 붉음이 가루가 되어 바람에 가
득히 일어나는 것 그렇다면 조금 다행이지 싶어서 나
의 상념들을 티끌로 날려버리고 진홍의 홍진에서 분홍
이 된다면 그렇게 핑크가 된다면 조금은 즐거울지도
모르고

이야기

햇빛이 창문에 틈틈이 맺힐 때
빗방울이 창문에 알알이 내릴 때
햇빛이 맺히던 틈과
빗방울이 내리던 길
사이로 어떤 이야기들이 오갔을까

오간 이야기들에서 쏟아진 말들은
틈과 길을 채우고
뜨겁고 아련했던 기억들을
창문틀 사이로 빼곡하게 내린다

어느새 말라버려 먼지가 덮고
나는 검지 손가락으로 그것을 슥 쓴다
또 하나의 길이 나고
그 길 사이로 바람을 훅 불어 본다

숨 사이로 흩어진 사이로
나는 다시금 깊이 숨을 들이쉰다
들이쉬고 내쉰다
그리고는 창문에 대고 하ー
그 위에 검지 손가락으로 슥 쓴다

먼지 낀 투명 위로
다시
햇빛이 틈틈이
빗방울이 알알이
스며든다

비(秘)가 내리고

비(秘)가 내리고
음악이 흐르면
가수의 목소리에
피아노 소리에
오케스트라의 소리에
밴드의 악기 소리에
비(悲)를 새긴다

감출 비는 아쉬움이 되어
아스팔트와 시멘트 바닥에 낮게 튀어 오른다
이내 부서져 거리의 불빛에 흩어진다

간 데 없이
왔던 곳을 두리번거리며
우산에 맺히는 비를 바라본다

툭툭
또르르
낙하하는 비에
눈길을 더한다
가벼워지길

아니,
더 무거워지길

still life still, life

길을 걷다가 유리창 속 커튼에 드리운 세계를 만난다
걷다가 걷다가 이 커튼을 걷으면 이 세계가 사라질까
싶지만 커튼이 걷히고 난 자리에 그 세계는 사라지지
않고 더 투명해져서 물자리처럼 남아있다 많은 것들은
유리창에 비친 세계 같아서 영영 사라지지 않을 것 같
고 오직 걷는 나만이 그 앞을 왔다갔다 하면서 여직
생을 전시한다 still life still, life

흔

천 개의 정념이 있고 천 개의 균열이 있다
천 개의 정념이 천 개의 균열을 채우고
천 개의 균열이 천 개의 정념을 토한다
천 개의 정념에 서린 서글픔이
천 개의 균열에 서린 무심함을 붙들고
천 개의 정념은 기어코 도로
천 개의 균열 속으로 미끄러져 들어간다

그렇게
엉긴다

구토,

흔하디 흔한 흔(痕)에 흔적을 남긴다

그렇게,
천 개의 마음은 천 개의 흔(痕)을 덮는다
흔(痕)에 애(愛)(를) 쓴다

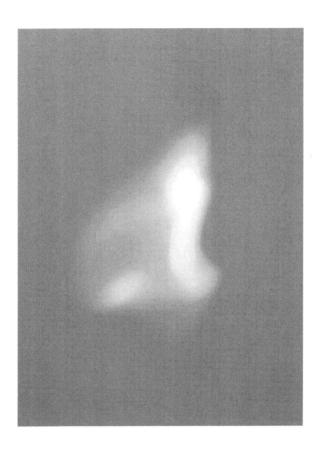

꿈

현실을 꾸어서 비현실을 꾼다
그런데 현실에는 없는 것이다
없는데 현실을 꾼다
없으니 도로 갚을 곳도 없다

내가 꾼 것은 나의 마음이었나
그건 현실에 있었는데
내 마음이 닿았던 닿음이 없었나
그래서 나는 내 마음을
기우고, 갚고, 덮는다

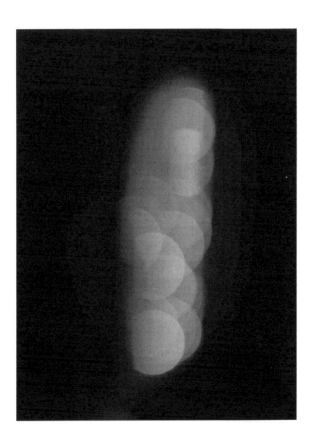

꿈쟁이

엄마는 아침이면 내게 어떤 꿈을 꾸었는지 물어보곤
했지 난 엄마에게 꿈쟁이였고 내 꿈들은 왠지 일어날
법한 이야기들 같았어 엄마는 내 꿈을 반복했고 되새
겼어 그럴 법해 그럴 것 같아 그렇게 됐으면 좋겠다
나는 엄마의 작은 장사꾼처럼 이세계를 꾸어다 저세계
에 맡겼지 나는 아침이면 그것을 찾아다 엄마 앞에 펼
쳐놨어 나는 아직도 여전히 그것을 하고 있고 그래서
늦은밤 새벽꿈을 빚고 빚을 내어 꾸어다 수화기 너머
의 보이지 않는 엄마의 귀에 차곡차곡 넣어주지 다시
말해봐 엄마는 다시 말해봐를 말하고 나는 다시 말해
주고 꿈쟁이인 나는 꿈을 꿈뻑꿈뻑

언젠가는 꿈에서 꿈뻑꿈뻑 컬러인지 흑백인지 모를 그
공간에서 나는 꿈속의 엄마에게 꿈속의 꿈을 펼쳐 놓
겠지 그러면 엄마는 다시 말해봐 말하고 나는 또 말하
고, 아마 그러겠지

돌고돌아

모르는 길로 들어서
모르는 채로 가보자
했는데,
모르는 길이 어느새 익숙해지고
몰랐던 것들에 아는 체를 한다

열길 물속에 들어가
열길 물속을 헤엄쳐
당신의 길로 들어설 때
나는 까막눈이 되어버릴까

언제까지 모르는 길이 되고 싶어
끝끝내 낯설은 풍경이 되고 싶어

하지만
결국엔 아는 체 하게 돼

안녕-

의미의 의미

말이 오로지 관념의 결합이고
사진이 실체들의 결합이라면
나는 상상의 말을 타고
실체의 초원을 달려
네모난 프레임에 각인하고
선명히 드러나는 글자를 놓아
모호한 의미들을 만들겠지

나는 그 의미들로
나와 닮은 세상을 만들어
그것에 이름을 주고
물과 해와 탐스런 과실들을 양분 삼아
그것의 갈비뼈에서 태어날
당신의 생각들에게
나의 길고 축축한 혀를 날름이겠지

나와 당신의 세상은 찢어지고
그 사이엔 불길이 돌아
언제까지고 맞닿을 수 없게 될거야

그러니

나는 반드시 죽어야 하고
관념의 먼지가 되어
이제 당신의 날름거리는 혀가
나의 먼지를 먹고
그것은 또 하나의 말이 되어 토해지고

토해진 세상은
다시 네모난 곳에 갇히고
의미의 의미의 의미의
그러니
신은 이렇게 말하지
너 어디에 있느냐고

글쎄요

읽다

단지 글자를 읽는 것과 문장을 읽는 것은 너무나 달라서 그래서 글자를 아는 것이 곧 읽음을 아는 것은 아니라, 모든 보이는 것들이 있다 해서 그 존재를 알 수 있는 것도 아니니 대체 무엇을 읽고 있는 것인지 알 수 없어 나는 삶의 행간을 파고 들어가 어딘가 맥락의 꼬투리를 잡아 숨을 헐떡이는 그것에 하나하나 해(解)아리는 마음으로 눈을 맞추고, 내가 단지 글자만 아는 것이 아니길 내가 단지 바라보고만 있는 것이 아니길 바라면서, 입을 움직거리고 달싹이며 숨죽여 읽고 또 읽고 그리고는 나는 나로 밑줄을 남기며 다시 해(解)아릴 것에 대해 생각하고, ...

호문쿨루스

투명한 플라스크 안 불투명한 형상은
그 옛날 연금술사들이 그토록 원했던 것
아무것도 없는 것에서 아무것은 못 만들어 내기에
투명한 플라스크에 하늘 높이 닿을
바벨의 언어를 공들여 부어놓고
그것들을 붙일 사랑의 아교를 푼다
말들은 기다랗게 자라나고
그것에 어떤 힘이라도 있었던 것인지
신은 단단한 손으로 말들을 잡아채어
싹둑, 잘라버린다

하지만 우리의 사랑은 그것을 아로 붙이고
투명함 속 불투명으로 끝내 존재한다
그렇게 알 듯 말 듯하게
사람인지 사랑인지
그것이 ㅁ인지 ㅇ인지 모르게

나는,
그리고 너는
이곳에서 자라난다

반짝반짝

생성일까 소멸일까 부서지면서 깨어나는 물빛을 보면
서 세포도 그렇게 생성일까 소멸일까 부서지면서 깨어
난다고 들었다 그 모든 순간들의 나는 정말 나였을까
생각하면서 수많은 찰나들의 나는 어떻게 내가 되는
것일까에 대해 생각하면서 윤슬을 두고 그렇게 명멸의
순간을 맞이하는 너를 바라봐

손에 잡힐 것 같지만 깜빡이는 눈 사이로 붉은 점들을
흩뿌리며 사라지는 빛이 생성일까 소멸일까 그렇게 너
를 따라 부서지면서 깨어나고 있었지 너의 눈매에 너
의 입가에 너의 손끝에서 세상은 그렇게 생성과 소멸
을 부서짐과 깨어남을 반복하고 있지 그 모든 순간들
의 너는 그 모든 순간들의 내가 그 안에 담긴 억겁의
찰나들만큼 기억하고 있지 그중 하나를 꺼내어 윤슬에
흘려보내 강물에 젖어 가라앉을 때까지 그때 그것은
얼마나 무겁고 짙고, 가득한지

such a fool / such a pool

such a fool
such a pool

바보 같이 연(戀)못에 빠져버리지
허우적댈수록 더 빠져들어

몸에 힘을 빼
그러면 몸이 떠오를 거야
떠오른 얼굴 위로
햇살이 구름이
혹은 비가 쏟아지겠지

아무렴

바보 같은 나는 바보같이 힘을 빼고
바보같이 두둥실 떠오를 거야
그러니
나는 내 작은 사랑에서
언제까지고 표류할 거야

강

서로 깊이 흐르는 강을 놓고
그곳에 들어가지 말자 다짐하면서
조용히 흐르는 강물에 비치는
서로의 얼굴만 바라보고 있다
그 얼굴에 발을 담그지도
발을 담그고 몸을 넣어
바닥에 있는 흙과 자갈들과 큰 돌들을
흐트러지게 하지 말자고
그대로 두어 깊은 강물에 숨기자고

손가락으로 강물을 살짝 튕겨
자신의 얼굴을 흩트린다

fly me to the moon

길을 걷다가 낮에 뜨는 달을 봤어
그것은 사람들이 드나드는 moon,
달은 그렇게 열고 닫히고
사람들은 그리로 분주했지
그 뒤편에는 무엇이 있을까 궁금했지
하지만 나는 부끄러워서
달이 비친 창 너머를 보지 못했어
그러니
당신이 달의 뒤편에서 나를 봐줘
그리로 들락날락
moon 사이로 한 발짝 나와줘

그리고,

fly me to the moon

시시하고 사소하지만   51

잘 알지도 못하고

백 가지의 것들에서 열 가지의 같음을 찾고
그 열 가지에 인연과 운명을 거는 것이
수많은 흩어짐에서 눈에 익은 패턴을
찾으려는 행위와 비슷한 것이라면,
보도블록에서 같은 색의 블록을 밟고
횡단보도에서 흰색 아니면 검은색만 밟으면서

그리고 그렇게 사랑에 빠졌다 생각하지

어쩌면 열 가지의 같음보다
구십 가지의 다름을 바라보는 게
수많은 흩어짐을 흩어진 대로 놓고
보도블록과 횡단보도에서 경계를 밟고

그렇게 어지러이 서있는 것이
잘 모르니 그냥 서있는 것이

이 어지러움과 경계 없는 경계
너와 내가 딛고 선 이 어지러운 선들이
구십 가지의 다름이 우리의 운명이고 인연이라고

나는 너를 모르니
너는 나를 모르니
구십 가지의 고개를 넘어
그 너머로 함께 가면 좋을 것이라고,

그러니
우린 그렇게 사랑에 물들고

눈이 부시게

경계에서
경계에 서
눈이 부시도록
눈이 시려
눈물 나는
안녕을
보낸다
똑바로
바라볼 수 없어
고개를
비스듬히
듬성듬성
구멍이
난 마음에
눈부신
방울들을 채우고
그 위를
조심조심
언젠가 깨지겠지
그러면
그 방울들이 녹아

방울방울
흘러 흘러
나는 다시 고개를
비스듬히
듬성듬성
그때를 헤아려서
헤어진 너에게
해어진 마음을 보여주지
이렇게 달았던 게
이렇게 닳았다고
그러니 나는 너의
깊은 구석을 닦고
눈이 부시게
눈이 부셔
눈이 시리게
그래서 나를 향한
너의 투명한 그것들이
방울지게

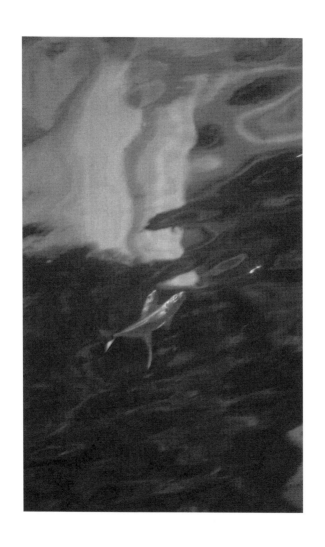

가장 따뜻한 색

달았던 것이 닳기도 하고
견고했던 것이 해지기도 하고,

달았던 것이 달아오를 때
얼마나 빨갛고 선명했던가,
모호함과 불투명한 것들이
분명해지고 투명해져 갈 때
얼마나 단단하고 길고 긴 미래의 영원을 말했던가,
달았던 것이 쓰디쓰니
이제 해어진 마음에 헤어짐을 고하고
목구멍 깊숙이 침을 삼키며
마지막 말을 누른다.

가장 뜨거운 색은 파랑이라고,
깊고 짙게 낮고 아득하게 흐르는
바로 그것이라고

사소함에 대하여

작고 하찮은, 조그맣고 부족한
잠깐(乍) 빛나다 사라질(消)
그 사소함에 대해 생각한다

섬광처럼 가득하고 아찔하게 빛났던
순간의 감정들은 한때 크고 무거웠고
·······
크고 무겁고 밀도 있던 그것들이
작고 조그마해질 때
틈틈이 벌어진 사이로
하나둘씩 떨어진다

주섬주섬
나는 그것들을 줍는다

주섬주섬 그 사소함을 담는다
잠깐,
사라지기 전에 한번 꺼내본다
숨 죽이며 바라본다

나는 그것에 작은 바람을 불어넣고

그것이 존재했던 자리(所)를 생각한다

작고 하찮은 것이라 말했던가
그때도 지금도 조그맣지도 부족하지도 않다
그것은 여전히 커다랗고 짙다
깊고 무겁게 내려앉는다

잠깐, 머물다
사라져 버릴 것이 아니다
섬광이 아니라
땅을 가득히 서서히 덮어가고 스며가는
빛나는 너에 대한 생각들이다

고조곤히 와 이야기 한다[1]

흰 눈 대신
자동차의 불빛과 건물의 네온사인이
눈앞을 일렁이며 날리고
오늘밤이 좋아
응앙응앙[2] 울어줄 나귀 없어
나의 마음이
오늘밤이 좋아
응앙응앙 울고 만다

옛 시인은
고조곤히 와 이야기한다 말하지만
지금의 나는 그저
고조곤히

그저
고조곤히

---

1) 백석, '나와 나타샤와 흰 당나귀'
2) 상동

얼굴

눈동자에 비친 내 얼굴을 찾으려
당신의 눈동자를 샅샅이 살피다
샅샅이 살피는 나를 찾고는
그대로 가만히 들여다 보고
점점 뒷걸음질 치며 멀어져 가지

깜빡-
눈을 떴다 감았다
그 짧은 순간에 난 더 멀리 달아나고
다시는 돌아가지 않으리라 다짐하는데

깜빡-
눈을 떴다 감았다 하며
내 앞에 있던 당신을 떠올리지
내가 당신 얼굴 앞에서 뒷걸음질 쳤던가
당신이 내 얼굴 앞에서 멀어져 갔던가
그러니 당신은,
잊을 수 없는 상이 되어 그렇게 떠오르지

결국 나는 당신 얼굴 앞에서
온 생애의 애틋함을 담아

눈이 시리도록 눈을 부릅뜨고
뒷걸음질 치던 발걸음을 멈추고
당신을 향한 눈길을 걸어가

당신 얼굴 앞에서
눈을 깜빡-
그것은 찰나였으나
영원일 테지

말할 수 없는 것

누군가에 대해서 다 알기란 불가능해서
누군가는 영원히 미지의 세계가 되고
말할 수 없는 것들로 이루어진 그 세계는
다다를 수 없는 나라가 되어
영원히 넘어갈 수 없는 곳이 된다

그러나
나는 말할 수 있는 것들의 부스러기를 주워
그것을 내 주머니에 차곡차곡 넣어
입속에 하나씩 집어삼킨다

내 굳은 혀는 풀려 입속의 말들을 뱉고
말할 수 없는 불가능의 세계에서
가느다란 울타리를 치고
조그맣고 작은 가능의 세계를 만든다

그러다
말할 수 없는 것들에 대해서는
정말 말하지 않아야 할까 생각해 본다
어쩌면
말할 수 있는 것들 사이에 있는

말할 수 없는 것들을 입으로 내뱉고야 마는
수많은 오류들을 사랑하는 것인지도 몰라서

가느다란 울타리에서 나와
불가능으로 향한다
오류 중에서 가장 크나큰 오류
사랑은 그렇게 사람을 어리석게 만들지만
나는 그 헛됨을 또 사랑해서
주머니에 남아있던 말할 수 있는 것들로
허무를 쌓는다

다다를 수 없는 나라를 향해
허무의 언덕을 쌓고
그 언덕에 올라 당신을 바라본다
넘어갈 수 없으나
나의 눈길은 당신에게 닿고
우리의 허무는 잠시의 생을 얻는다

녹색광선

나에겐 오랫동안 어떤 믿음이 있었고 그것은 자칫 헛
될 수 있었지 나는 그 헛됨을 헛되게 받쳐줄 누군가를
원했고 그에 대해 나의 마음은 짙은 청록으로 섬광처
럼 빛났으나 그 사랑의 순간들은 바다 저편으로 사라
지지 않고 녹아서 지상으로 흘러들었지 그것은 혈관을
돌고 돌아 지상의 양식이 되고 우리는 좁은문 앞에서
채워지지 않을 서로의 배를 어루만지며 헛됨을 즐겼지
허무로다 허무 그 옛날의 유대인 선지자의 말을 농담
처럼 내뱉으며 내 믿음의 크기를 가늠했지 당신은 내
몸에 한 뼘 한 뼘 손가락을 힘껏 뻗어가며 피와 살과
숨을 쓸었지 헛됨에서 해방된 헛됨을 읊조리면서

8분

태양에게서 빛이 눈으로 도달하는 데에 8분 조금 넘는 시간이 흐른다는 것을 알았다. 지금 내가 보는 태양은 8분 전의 태양이구나. 그렇다면 지금의 태양은 8분 후에 보이겠구나. 태양과 나의 거리는 억겁의 시간, 빛의 8분은 억겁이 아닌 고작이라는 말로 수식되겠지만 어느 영화의 배우는 영원히 남을 1분을 말했으니 8분이면 영원의 영원의 영원인 걸까 그러다 어느 별은 8분이 아닌 몇 년 전 혹은 수십 년 전 혹은 그보다 더 오래 전의 별이란 것도 알았다. 우리는 이렇게 8분과 8분 보다 더 지난 것들에 둘러싸여 살다 결국 지난 것들 속에서 그렇게 지나간다 우리에게 지금이 있었던가, 수많은 지나간 빛들에서 우리가 볼 수 있는 것은 8분에 담겨 있는 억겁의 찰나들, 빛을 쓰고 빛을 읽고, 우리는 8분 전의 세계에서 서로를 마주 하고

먼지

방바닥에 시시콜콜한 말들이 굴러다니고 굴러다니는
말들로 시답잖은 놀이를 한다 방구석에 먼지처럼 떠있
던 말들에 축축한 침이 닿고 입김이 닿으면 바닥에 찰
싹 붙어 몸에 붙고 그 끈적한 것들은 온몸에 붙어있다
그것을 하나하나 떼어내어 공처럼 만들고 - 우리는 그
것을 주거니 받거니 시답잖은 짓에 리듬을 담아 시 답
잖음을 시처럼 만들고 그것들을 함께 읊어나가지 그래
우리의 시는 이와 같아서 다시금 말을 바닥의 먼지처
럼 가벼이 만들고 떠다니는 그것에 입김을 불어 우리
의 형상대로 만들고 - 너와 나의 침으로 빚어진 세계
에서 영원이 배를 맞대고 그것을 먹고 살아가겠지 그
것이 우리의 영원한 죄라면 나는 구원을 바라지 않고
이생으로 미끄러져 들어가 서로의 발치에 자리 잡고
먼지를 먹으며 살아가리

말

말도 얼릴 수 있다면
고요한 물속에 한 단어 한 단어 잠겨
그대로 꽁꽁 얼릴 수만 있다면
언젠가 그것들이 녹고
홍수처럼 쏟아져 내려
손을 적시며 가슴에 차갑게 밀려올 텐데
뜨거운 마음이 녹아 발끝부터 차올라
다시 얼어버린다면
나는 처연히 빛나는 얼음 조각으로 남고
그것에 따뜻한 손이 닿으면
단어 한 방울을
뚝, 하고
툭, 떨어뜨리고

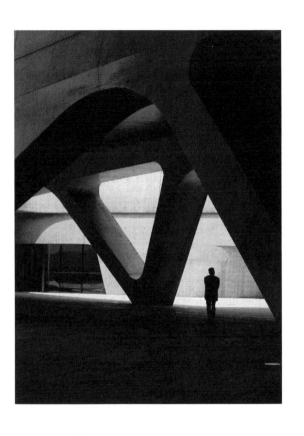

따뜻해져라

나는, 지나는 사람들의 지나는 말들을 주워
엄지와 검지로 살짝 비벼 그날에 흘려보내고
어제를 생각한다, 어제도 이랬던 것 같은데,
오늘도 이렇게 어쩌면 내일도 이렇게
나는 지나는 사람들의 지나는 말을 분분히 흩날리겠지
지나는 사람들 중 하나인 나의 지나는 말도
누군가의 손짓에서 흩날려졌을까,
나는, 그리고 당신의 말은 숨이 되어
거리 비둘기의 작은 먹이가 되어
그날의 공기 사이로 흩어지고
전선 위에 건물 높은 어딘가에 자리 잡고
지나는 나에게 당신에게 스며들고
지나는 당신에게 나에게 고갯짓을 하겠지
우리의 흩날린 말들은 높이 날고 싶지만
우리의 숨은 우리가 뱉어내는 것보다 낮고
비둘기가 쪼아 먹은 우리의 말은
하얀색 짙은 덩어리로 아스팔트 위로 떨어질 뿐이지

나는, 지나는 사람들의 지나는 말들을 주워
그것을 가만히 쥐고서 한참을 가만히 있어
당신도 그렇게 가만히 손을 쥐고서 가만히 서있지

그러다 손을 맞잡고 말들을 섞었지

따뜻해져라

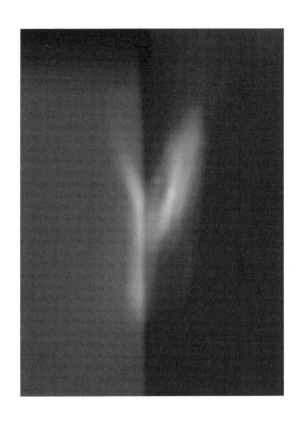

아른거리는 것

한 시인은 살아있다는 것이 영원한 루머라고 했다3)
그 글을 읽는 한 카페 내 앉은자리 맞은 벽에
그림자가 들어와 있었다
그림자는 모양과 자리를 바꿔갔다
그렇게 여러 모습으로 아른거리다가
흔한 하트 모양의 그림자가 되었다

잠깐이었다

살아있는 것이 루머라면
살아있을 때 하는 사랑도 루머일 테고
루머의 루머는 진실과 멀찍이 떨어져 있을까 싶지만
왠지 같은 게 두 개라면 반대의 것이 될 것만 같으니
루머의 루머는
어쩌면 가장 진실한 진실일지도 모르겠다

그것은 루머 같은 생에서
잠시 아른거린다
그 모양을 바꾸면서 아른거린다
내 앞 맞은 벽에서 그렇게 아른거린다

---

3) 최승자, '일찌기 나는'

루머의 루머야말로 진실한 진실이라면
내 앞에서 아른거리는 그것이
진실로 진실한 진실일까

루머는 흐르는 것,
내 입에서 너의 입으로, 내 귀에서 너의 귀로
루머의 루머는 어떻게 존재할까
아른거리며 모양을 바꿔가며
잠시 내게 보이며 잡을 수 없을 것처럼

진실로 진실한 진실, 그것은
아른거리는 것
아른거리다 한 벽에 맺히는 것

호수

다리 두 개가 떨어져 나간 개미가
달그락 발발거리며 기어가는 것을 보면서
생을 이렇게 축내고 있는 나는
달그락 발발 기어가지도 못한다

물이 어디에서 들어와 어디로 나가는지 모를
거대하고 작고 깊고 얕은 나의 호수에서
몸을 뒤집고 헐떡거리는 물고기를
손으로 감싸 쥐고서 날카로운 자갈에 올려놓고는
몸이 뒤집힌 게 아플까
날카로운 자갈이 아플까
생각한다

물고기를 물끄러미 바라보다가
그만 헐떡거릴 때가 오고
저녁 어스름이 되어 물고기의 몸에
저무는 주홍색 동그란 그것이
자신의 그림자를 드리우는 것을 보고

물고기를 감싸 쥐고서
거대하고 작고 깊고 얕은 호수에 놔주고서는

숨쉬기를 멈췄으나 눈은 감지 못하는
물고기의 회백색 눈을 바라보는데
그 위로 지나가는 다리 두 개를 잃은 개미는
다시 달그락 발발

나는 자갈에 가만히 누워
생을 축내면서 생각한다
숨을 쉬는 게 고통인지
자갈에 찔리는 것이 고통인지

그림자

길고 긴 낮을 지나 까마득한 시간에 다다라
기억의 물결이 밀물처럼 들어오는 그곳에서
나는 내 그림자를 기웃거려 보지만
짙은 어둠이 그림자를 삼키고
나만이 짐작하는 그림자 위로
기억이 사르륵 찰랑인다
오로지 살갗으로 느낄 수밖에 없는 그곳에서
나의 모든 숨구멍들이 일제히 가는 숨을 토하고
그것은 물살에 녹아 스르륵
한동안 흘려보내다
점점 썰물이 되어가는 그곳에서
언젠가 푸석해지고 먼지가 되어 흩어질
말라가는 생을 밟으며
다시,
까마득한 시간에서 길고 긴 낮으로 향한다
정수리에 꽂히는 빛의 화살이 피 한 방울 흐르게 하고
그 피는 나의 그림자가 숨어든 땅으로 스며든다
길고 긴 낮을 지나 까마득한 시간에 다다를 때
피를 딛고 일어설 나의 그림자는
또다시 머리를 기웃거리겠지만 -

나의 뒤에서

나의 그림자가 긴 꼬리로 파리를 쫓아내듯 지난 시간들을 흩어 버린다 무슨 냄새를 맡고 왔는지 지나감이 자꾸 얼쩡댄다 나의 그림자는 쫓기를 그만두지 못한다 그것이 달콤한 냄새였을까 구역질 나는 악취였을까 아마도 후자였을까 이때껏 달콤함으로 치장해 온 것이 본모습을 드러내고 구역을 일으키게 하는 것일까 지나간 것은 아름다워질 수밖에 없다고 나는 그렇게 달콤하게 치장했지만 문지를수록 속에 있던 허름함과 궁색함이 드러나서 도저히 감출 수 없게 돼 그저 나는 나의 뒤에서 나의 그림자가 긴 꼬리로 지난 시간들을 흩트리는 것만 짐작하고 있다 나의 뒤에서 너는 언제까지 그렇게

화장

생을 잃은 육신이 재가 될 때까지 활활
타, 오르고
남아있는 자들의 가느다란 의지가 함께
피어, 오르고
아직 차례가 오지 않은 이들은
칠이 벗겨진 낡은 벤치에 앉아
먹고 마시고 서로 이야기 한다

죽은 자는 연기(緣起)가 되어
산 자의 들숨과 날숨에 얹히고 섞여
먹고 마시고 말하는 입가에
오른다

비로소 탄생

옛날 한 현자는 가진 것을 버리고
고행과 고독을 벗삼다 세상에 고정불변은 없다고
불변을 말하는 고통속(俗)에서 벗어나라고 했다
그러나 나는 그처럼 내 속을 극복하지 못해서
보이는 모든 바뀌는 것들에
아이처럼 떠들고 춤추고 웃질 못하니
나에게 봄이란 매섭고 잔인하기만 하다

나의 시(時)는 그렇게 흔들리고 두려워
어지럽게 눈을 굴리고 입을 달싹인다
음정을 갖지 못한 말들이 바람을 타
입술에서 벗어나고
태어남도 죽음도 알지 못해서
태어난 적도 죽을 일도 없을 나는
물 없이 갈라진 입술의 표면에서
말의 탄생과 바람을 타고 흩어지는 추락을 본다

바람 실린 추락이 죽음이라면
나는 끝없이 내 혀에서 말을 밀어 올리니
그것이 불안의 대가라면 대가일 것이고
시(視)적 기만을 눈치채지 못한

내 아둔함에 대한 형벌이라면 형벌일 것이다
그러니 언제까지고 나는 내 입술로 말을 밀어 올리고
다시 또 올리고 올리고 올리고…영원히 회귀한다

아, 내 시(詩)는 불안에 이르는 꿈이라
나는 끝없이 내 말들을 밀어 올려 시간을 되감는다
그리고 시( )간에 떨어지는 시(詩)들을 본다
전락의 발치에서 비로소 나는 끝없이 죽는다